이야기: 나라는 사람

알파 박민욱 정명진 뽀뽀엘 말랑주먹 플로시

엮은이 정재운

이야기: 나라는 사람

발　행 | 2024년 7월 15일
저　자 | 알파 박민욱 정명진 뽀뽀엘 말랑주먹 플로시
엮은이 | 정재운
펴낸이 | 한건희
펴낸곳 | 주식회사 부크크
출판사등록 | 2014.07.15.(제2014-16호)
주　소 | 서울특별시 금천구 가산디지털1로 119 SK트윈타워 A동 305호
전　화 | 1670-8316
이메일 | info@bookk.co.kr

ISBN | 979-11-410-9528-4

www.bookk.co.kr

이야기: 나라는 사람

알파 박민욱 정명진 뽀뽀엘 말랑주먹 플로시

엮은이 정재운

BOOKK

서문

이 책은 "우리의 이야기로 도움이 필요한 곳에 새로운 이야기를 선물하자!"라는 슬로건으로 시작된 〈이야기 프로젝트〉의 네 번째 작품입니다.

지금까지 여러 작가님들과 함께하며 다양한 작품들을 만나보았습니다. 그런데 작가님들은 자기 자신을 어떻게 바라보고 있을까요? '나라는 사람'에 대한 작가님들의 시선이 궁금했습니다. 그렇게 시작된 이번 프로젝트로 2024년의 여름, 작가님들의 이야기를 여러분께 선물합니다.

이야기 프로젝트를 위해 소중한 시간을 내어주신 독자 여러분들께, 부디 제 소중한 인연들의 글이 멋진 선물이 되기를 간절히 바랍니다.

2024년 7월,
엮은이 정재운

차례 _

첫 번째 작가, 알파

E-mail: alphaandomega4321@gmail.com

에세이는 문장의 호흡을 통하여 사람과 사람이 만들어 낼 수 있는 비언어적인 소통을 가장 감동 있게 표현할 수 있는 하나의 수단입니다. 에세이 속에 저를 소개해 주면서 글 이상의 감동과 의미를 나타내 보고자 해당 시선집 프로젝트에 참가하게 되었습니다. 진솔한 감정으로 시에 있는 감정을 나타내고자 합니다.

다양한 사람을 만나면서 지평을 넓히기

나는 시간이 날 때마다 봉사활동을 하게 된다. 물론 주말에 다른 취미가 있기는 하다. 운동하거나 외국어를 공부하거나 하는 활동도 의미가 있다. 하지만 주말에 급한 일이 없으면 다양한 사람들을 볼 수 있는 계기가 되면서 돈을 안 들이고 할 수 있기 때문이다. 봉사활동을 하면서 다양한 사람들을 보는 것은 물론 평상시에 볼 수 없었던 다양한 분들과 이야기를 나누면서 내가 몰랐던 지식을 인지하는 것은 물론 사람들에 대한 대인관계 연습을 해 볼 수도 있다.

대인관계에 대해서는 다양한 사람을 만나야 하는 만큼 다른 사람하고 충돌해 보면서 자신의 성격이 어떤지 파악을 하는 것은 필요하다고 본다. 맞지 않는 사람과 부딪쳐 보지 않거나 갈등을 겪어보지 않으면 자신과 맞지 않는 사람들에게 대한 고마움을 모르기 때문이다. 이러한 관계가 연습이 될 때 사람에 대해서 다루는 역량을 높일 수 있으며, 상대편에게 불편한 이야기를 하는 시기에도 최대한 해당 사람의 성향과 습성 파악을 해서 그 사람에 맞는 이야기를 해 줄 수 있기 때문이다. 특히 조금 불편할 수도 있는 환경에 들어가 보면서 어떤 환경이나 상황이 나에게 맞지 않는지 파악을 해 보기도 한다, 이러한 환경이나 상황에 대해서 다양하게 생각을 해 보면서 내가 극복을 할 수 있는 상황인지 아니면 어떤 이유가 상대편에 대해서 어렵게 만드는지 생각을 해 보게 된다.

이러한 상황을 파악해서 정리해 보는 것만으로도 자신에 대해서 충분히 알아갈 수 있는 활동이 된다. 상대에게도 어떠한 부분이 맞지 않는지 납득되게 설명을 해 줄 수 있으며, 상대편과 진심으로 소통을 할 수 있는 계기를 만들 수 있는 하나의 기회가 된다. 사람과 사람이 상호 간의 친밀도가 있다는 것은 맞는 활동이나 취미에 대하여 서로 간의 공통분모를 맞추는 행동일 수도 있다. 하지만 반대로 맞지 않는 사람에 대해서 서로 이야기를 해 보면서 서로 다른 점을 인정하고 맞추어 볼 수도 있다. 다시 말하면 다른 사람을 자신의 범위에 넣어 볼 수 있는 기회로 삼을 수 있다. 이러한 사람들에 대해서 서로 간의 이해 관계 없이 서로에 대해 이야기하고 서로 간의 시간을 공유할 수 있는 활동이 봉사활동이라고 생각한다.

젊은 분들 사이에서 왜 MBTI가 왜 유행을 끌 수 있었을까? 다양한 이유가 있지만 서로 간의 다름을 체계적으로 설명한 하나의 도구이기 때문이다. 왜 자신에 대해서 서로 성격이 맞지 않는지 단순하게 싫어하는 것이 아닌 저 친구는 T여서 저럴 수도 있다고 하나의 이해의 폭을 넓힐 수 있기 때문이다. 이러한 사람에 대한 연습을 할 수 있는 활동에 대해서 항상 다양한 곳에서 나를 던지고 연습을 해 보게 된다.

활동하면서 정말 다양한 사람들을 만나게 된다. 20대들부터 시작해, 은퇴를 하신 분들도 종종 자신의 시간을 찾기 위해서 오시기도 한다. 20대 사람들과는 직장

과 이직에 대한 소재로 공유를 주로 한다. 이들은 자신에 대해서 의미 있게 살아가고 싶다고 이야기를 하면서 맞지 않으면 오래 있고 싶지 않다고 하면서 자신과 맞는 회사를 찾고 계속 일하고 싶다고 한다, 반대로 기업체 임원 출신 한 분은 요즘 애들이라고 호칭을 하면서 회사와 자신의 가치관이 맞지 않으면 그만둔다고 하면서 이러한 상황에 대해서 좋지 않게 보셨다. 그러면서 요즘 세대들은 조금 안 맞으면 회사에 대해서 국세청에 내부고발을 하거나 노동청을 가는 모습이 하나의 현상이 되었다고 하신다.

기성 세대 분은 자신의 직접적인 의견을 표현 안 하셨지만 정말 비관적으로 보셨다. 하지만 젊은 세대의 경우 국가 부도의 날과 2007년 서브프라임 금융위기를 겪으면서 회사가 언제든지 자신을 정리하는 현상을 보면서 평생 고용의 시대는 끝났는데 왜 한 회사에 대해서 과도한 충성을 해야 하냐고 말씀하신다. 두 분 모두 상반된 입장을 보이고 있는데 이러한 차이는 이분들의 성장배경의 차이인 것 같다.

임원 출신의 한 분은 자신이 속한 집단과 자신이 동시에 성장하는 시기에 혜택을 받은 만큼 집단이 있어야 자신도 있다는 생각을 가지신 느낌이 아닐까. 소위 말하는 우리는 하나, 하나 된 우리라는 생각이 자신의 가치관을 표현하는 것이다, 하지만 젊은 세대는 자신이 속한 집단보다는 개인이 더 소중한 만큼 개인에 대해서 목표를 정하고 움직이는 것이 더 중요하다고 하면서 자신과 맞지 않으면 주변 관계와 회사 모두 정리해 버리는 세대이다. 당장 해당 집단하고 사이가 어떻게 될지 모르는데 해당 집단에 대해서 거리두기를 하면서 자신이 더 중요하다고 생각하는 것이다. 이러한 세대 속에서 살아가는 우리와 나 자신의 관계는 과연 무엇이 되어야 할까?

이러한 이야기는 만약 두 분께서 같은 회사였으면 절대로 이야기를 들을 수 없었을 것이다. 왜냐하면 서로 간의 이해관계로 만난 만큼 불편한 이야기로 서로 간 도움이나 협업이 필요할 때 불필요한 충돌을 할 수 있기 때문이다. 서로 좋게 이야기는 하지만 언제든지 서로 간의 안 좋은 일이 일어날 수 있는 것을 아는 만큼 서로 조심스럽게 대하게 된다.

이러한 변화는 현재 많은 기업에서 느끼고 있으며, 이들을 포용하는 문화를 만들려고 노력을 하고 있다.

하루를 살아도 의미 있게 살고 싶은 인간의 노력이라고 해야 하나. 앞으로는 이러한 의미와 노력이 더더욱 힘을 받을 것이다. 다양한 개인에 대해서 포용을 하되 이러한 문화가 확산이 되는 것이 소통하면서 하나의 선순환이 되는 사회가 되지 않을까.

나는 여유롭게 즐길 수 있는 봉사활동이 좋다. 무언가 힘들게 하는 활동보다는 여유롭게 활동을 할 수 있는 것이 나에게 있어서 더 잘 맞기 때문이다. 봉사활동을 하면서 바람을 쐬면서 사람들하고 다양한 이야기를 한다. 어떻게 세상이 돌아가는지 이야기를 하고 즐길 수 있는 활동이 제일 선호가 간다. 너무 급하거나 성과를 바라는 활동에 대해서는 한번 해 보고 맞지 않으면 다른 대체활동을 만들어 두는 형식으로 해당 활동을 정리하게 된다. 해당 활동하고 아예 연을 끊는 것은 아니다. 활동의 빈도를 줄여나가면서 자신과 맞는 활동에 비율을 높이는 것이다. 활동하면서 보람을 느끼고 싶고, 봉사활동에 수혜자 또한 서로 활동에 의의를 찾고 맞추어 나가는 것인데 그렇지 않으면 서로 간의 시간을 쓰는 것이 큰 의미가 없다고 생각한다. 사람을 만나는 과정 또한 마찬가지로 자신과 맞는 사람에 대해서 서로 만나고 화합을 하는 것이지, 자신과 맞지 않는 사람에 대해서는 최소한의 배려만을 담는 것이 서로에게 있어서 유익하다.

그렇게 활동을 하는 과정이 가장 나에게 있어서 이로운 시간이라고 판단이 되며, 이러한 시간 속에서 주말에 휴식과 안정을 찾아 나간다. 때로는 글을 정리하기 전에 몸을 움직이는 활동을 하면서 새로운 글에 대한 소재를 찾기도 한다. 자신이 있는 환경이 전부가 아니며 다양한 환경을 찾아 나서면서 체험을 해 보고 이를 융복합하는 요소가 사람의 창의력과 상상력이 극대화가 될 수 있는 길이기 때문이다. 특히 활동에 대해서 다양한 시간을 보내면서 나에 대해서 입체적으로 생각을 할 수 있다는 자체가 사고를 유연하게 만들 수 있는 계기가 아닌가 싶다,

가장 인상이 깊었던 활동은 연탄 나르기였다. 연탄을 나르는데 있어 방진복을 입고 연탄을 한 줄로 서서 나르는데 처음에는 서울에 이러한 동네가 존재한다는 사실에 놀랐다. 평상시에 아무 생각도 없이 왕래하던 영등포역이었지만, 역 뒤에를 보면 판자촌에 사람들이 하루하루 무료 급식소를 통해서 삶을 연명해 나가고 계신다. 이러한 분들께서 겨울을 따뜻하게 나실 수 있게 연

탄을 제공해 드리게 되었다.

연탄은 현재 일반 가정집에서도 사용하지 않는 연료이며 이러한 연료에 대해서 정부에서도 사용하지 않는 것을 권고하고 있다. 연탄을 나르면서 정말 가보지 못했던 쪽방촌에 창고를 보기도 하고, 리어카를 사용해서 연탄을 날라 보기도 하였다. 대한민국의 경우 그나마 복지와 기초수급자에 대해서 시스템이 지원이 되는 편이어서 어려운 일이 있을 때마다 극단적인 선택을 하지 않으실 수 있게 정부 차원에서 많이 도움을 제공하곤 한다. 김치와 라면을 제공하는 것부터 시작을 해서 봉사단체들이 수급자의 현황을 항상 면밀하게 체크하고 있으며, 조금 더 살만한 사회로 만들고자 하고 있다. 제일 보이지 않는 곳에서 계시는 분들을 한 번의 활동으로 알 수 있다는 것 자체만으로 삶에 대한 지평이 넓어지는 계기가 되지 않았을까. 서로 힘을 합해서 연탄을 나르고 보이지 않는 장소에 대해 무언가 온기를 줄 수 있지 않을까.

다양한 활동을 통해서 나는 내가 어디에 있는지 생각을 하고 파악하며 살아간다. 특히 있는 그대로 나를 들어낼 수 있다는 점에서 나 자신과 소통을 하면서 살아갈 수 있는 활동이다. 데카르트가 이러한 말을 하지 않았던가. 나는 생각한다, 고로 존재한다.

다양한 글을 통하여 나를 알아가다.

글을 쓰는 것은 나에게 있어서 하나의 소통이다. 나에 대한 다양한 이야기를 글을 통해서 나타내는 것은 나를 나타낼 수 있는 하나의 방법이다. 나에 대한 특정한 주제의 글을 작성해 보기도 하고, 여행기에 대해서 글을 작성해 보면서 나의 가치관을 어떻게 하면 사람들에게 잘 나타낼 수 있는지 생각한다. 물론 글을 작성하는 과정에서 자신의 기억을 정리하는 행동은 언제나 쉽지 않은 일이다. 보이지 않는 기억에서 보이는 글로 자신의 가치관이나 생각을 나타내는데 생각을 해 보는 과정이 당연히 수반된다.

글이 어렵다고 포기하고 싶은 시련이 생길 수도 있다. 이러한 과정에서 아무것도 하지 않고 머리를 비우거나 쉬고 싶은 적도 있었다. 이럴 때는 무의식적으로 아무것도 하지 않으면서 좋은 아이디어가 생각이 나서 한 문장을 적어 놓고, 해당 문장을 하나의 문단이나 글로 확대한 적도 있다. 이이 선생님께서 왜 격몽요결이라는 책 제목을 지으셨는지 이해된다. 잠들기 전 꿈속에서 자신의 무의식이 나오게 되며 무의식 속에서 자신이 평상시 맨정신으로 생각하지 못했던 아이디어가 나오기 때문이다. 이러한 인사이트를 잡는 연습이 하나의 글이며, 이러한 과정을 작가들은 즐기면서 작성한다고 한다. 이러한 과정을 넘으면서 자신을 잘 표현을 할 수 있는 계기가 되었다.

이러한 인사이트를 잡기 위해서 때로는 갑작스럽게 머리에서 생각이 나는 문장을 메신저에 메모하기도 하며 주말에 시간이 날 때 이러한 문장들을 조합하여 이러한 주제들로 하나의 글로 만들어 보기도 한다. 이러한 주제들로 만들어졌던 문장들이 현재의 나에 대해서 구체적으로 정리를 하는 동시에 사람들에게 나를 표현하는 하나의 수식어로 만들어지게 되었다. 군 복무 시절 한 지휘관께서 메모의 중요성을 강조하신 적이 있다. 다양한 주제에 대해서 생각이 나는데로 노트를 가지고 메모를 하면서 하나의 점에서 시작하여 선과 면을 만들어 보라고 이야기를 하셨다.

처음에는 점을 찍는 행동도 힘들 수 있지만, 틀려도 좋으니까 아무렇게나 메모를 해 보고 자신의 솔직한 생각을 메모하는 것이 메모하는 시작이라고 하셨다. 하나의 점을 찍어보지 못하면 선을 그릴 수 없고 선에서 면을 만들 수 없기 때문이다. 하나의 간단한 문장이라도 생각을 적어 보고, 이러한 문장들을 모아서 하나의 문단을 만들어 보자. 문단이 모두 만들어지면 자신을 위한 하나의 글이 탄생이 되며, 자신에게 있어서 하나의 자랑이 될 수 있다. 실제로 하나의 의미를 가지고 있는 단어들을 모아서 하나의 의미를 만드는 것이 다양한 악기들을 활용할 수 있는 작곡가나 지휘자의 역할이 아닐까. 작가들도 이러한 과정을 거쳐서 글쓰기를 시작하였으며, 하나의 작은 단어를 시작으로 자신의 세계를 확장 시켜 나갔다.

하지만 이렇게 글을 쓰는 과정에서 자신의 경험이나 글을 작성하고 타인에게 공유하는 것은 자신에 있어서 자신을 나타낼 수 있는 하나의 생각을 공유하는 것이다. 이러한 생각 속에서 세상 속 인간사와 삶의 가치에 대해서 생각할 수 있는 문장들이 나왔으며, 이러한 단어들은 사회와 개인을 연결해 주는 하나의 이론과 요소로서 작용을 해 왔다. 이렇게 생각을 하다가 내가 만들어 낸 나의 의미는 사는 것은 애매함을 자신의 의미로 정의해 나가는 것이라 생각을 하게 되었다. 살면서 정말 애매한 순간들이 많은데 이러한 순간에 대해서 어떻게 하면 자신에게 맞는 답을 내릴 수 있는지 정리하는 것은 삶을 주체적이고 치열하게 살아갈 수 있는 계기가 되지 않을까.

소통을 통해서 불편한 일이 있으면 할 이야기 하거나 문제가 있으면 상대편과 이야기를 하여 풀어나갈 수 있는 실마리를 찾곤 한다. 예전에는 이러한 글에 대해서 상대편과 사이가 갈라지면 어떻게 하지 하고 걱정할 때가 있었다. 그럴 때마다 내 속은 안타까움만 존재하게 되었고, 나의 정신건강을 해치게 되었다. 이러한 상황에 대해서 글을 통하여 나에 진솔한 감정을 이야기하고, 이러한 감정정리를 하여 정중하게 이야기를 하는 습관을 들이게 되었다. 물론 이야기하는데 자신의 감정을 직접적으로 표현하라는 것이 아니다. 충분히 해당 상대편의 입장에 대해서 생각을 하면서 이유를 설명해 주는 것에서 변화는 시작된다.

일상생활뿐만이 아니라 사회생활을 하는데 있어 불편함에 대해서는 글로 진솔하게 이야기를 할 수 있는 요소도 하나의 큰 용기이다. 상호 간 이야기를 할 때 불편하지만 소통이 되어서 서로 간의 좋은 해결책이 나올 때 해당 사람과 더 가까워졌다는 느낌을 받을 수 있다. 이러한 불편함이 쌓이게 되면 서로 간의 불편한 언쟁이 순간적으로 나올 수 있으며, 이러한 언쟁은 결국에는 서로 간의 하지 말아야 할 말을 할 수 있기 때문이다. 하지만 글을 쓰면서 상대편에게 고마웠던 감정을 생각해 보고 섭섭했던 상황을 어떻게 이야기를 할지를 생각하면서 더욱 나은 관계를 만들어나가는 나의 모습을 발견할 수 있다.

이를 통해서 글이 단순하게 하나의 시간을 쓰는 행위가 아닌 사람과 사람을 이어주는 행위로서 글을 쓰면서 나의 감정을 다스리게 된다. 특히 불편한 주제에 대해서 글을 써 보면서 상대편에 대해서 어떻게 자신의 감정을 표현할 수 있을지를 생각한다. 당연히 글로 자신의 감정을 표현하게 되면 속에 있는 답답함이 많이 없어지게 되며, 밤에 무언가 편하게 잡념이 없이 잠을 자게 되는 자신을 볼 수 있었다. 물론 이렇게 하면 해당 상대와 관계가 정리될 수 있지 않냐는 이야기를 하시는 분들도 있다.

하지만 그렇게 정리될 상대였으면 애초부터 정리가 될 상대라고 생각한다. 다만 특별한 일이 없어서 정리되는 시간이 조금 더 빨라질 뿐이다. 자신이 그렇게 정성을 들여서 쓴 글에 대해서 상대편이 이를 인식하지 못한다면 상대편과 소통에 대해서 최선을 다했는데 어렵다고 느끼는 반증 아닐까. 사람은 상대편에 대해서 한 문장에 글을 쓰는 데 있어서 노력을 기울이게 된다. 당연히 그러한 글이 상대편에게 가면 상대편 또한 진지하게 생각을 하게 만든다. 글이 사람을 나타낸다는 말이 있듯이 어떠한 부분이 섭섭했는지 그리고 어떻게 하면 같이 좋은 방향으로 앞으로 나아갈 수 있는지 설명을 했는데 이를 무시한다면 상대편과의 관계에 대해서 생각해 보면 될 뿐이다.

두 번째 작가, 박민욱

Instagram: @ah.ring0603

평범한 일상의 풍경들을 글로 적어 내립니다.

끊임없이 흘러가는 일상들 속 기억하고 싶은 풍경들을 글로 적어두고 싶습니다.

아이들을 사랑하는 유치원 교사이자 그날의 어린 마음을 기억하고 있습니다. 별과 달, 자연물들, 사랑을 전할 수 있는 것들을 바라보며 그들에게 느끼는 감정과 묻어나는 모습을 글로 적어둡니다. 오늘도 누군가를 사랑할 수 있음에 감사함을 느낍니다.

4월의 겨울, 데이지

4월의 겨울, 고개를 들지 않아 봄이 왔음을 몰라 어리석었던 나 이외의 봄

차가운 유리 벽 너머로 비추어지는 공간들의 틈 사이, 한숨으로 하루를 보내던 걱정 어린 내가 있었다. 누군가가 그리워서 그랬을까, 보고픈 마음이 좀처럼 식어가질 않았기에 차가운 유리에 손을 올려두곤 했다. 이젠 옅어진 누군가의 기억 속처럼 하늘빛의 구름을 닮아 연하게 비추어지는 나의 표정에는 행복이라는 감정의 흉내를 내는 어리석은 슬픔이 묻어났다.

눈을 뜨고 찾아오는 아침을 매번 비슷한 걸음걸이와 한숨으로 겨울을 붙잡았던 나에게도 계절은 흐르고 나

는 누군가의 봄을 걷게 되었다.

올해도 찾아온 봄은 반가운 연이 닿기를 바라는 마음으로 앙상한 가지의 속이 익어가길 바라며 가끔 미소를 지으며 꽃으로 피어날 새로운 연을 기다려 보았다.

분홍빛 선율은 바람의 악장에 흩날리는데 나와 함께 발자국을 수놓을 사람은 날 닮은 검은 그림자뿐, 그 누구도 피어나질 않았다.

떨어지는 꽃잎을 쫓아 두 손으로 꼭 감싸 쥐었다. 언제 나타날지 모르는 누군가를 이 봄이 다 가버리기 전 만나게 해달라고 생기를 잃어가는 꽃과 작별 인사를 나누었다.

그렇게 나는 매일 봄은 얼마나 익어가는지, 나와 가까워졌다가 얼마나 멀어져갈지 노을빛 구름 문틈 사이로 떠나는 듯한 하루를 보냈다.

헤아릴 수 없을만큼 많은 꽃들이 낙화하며 얼마 남지 않은 꽃들처럼 봄도 며칠 남지 않은 느낌이 들었을 때 문득 눈가에 드리우는 길가의 데이지를 만났다.

그녀는 화려함을 뽐내지 않았고 내가 붙잡으려던 꽃잎처럼 날 떠나가지도 나를 애태우지도 않았다. 아침마다 피어난 모습에 언제쯤 인사를 건넬 수 있을지 생각하다 그 모습에 마음이 기울어져 나도 모르게 눈에 담아두고 있었다. 호기심은 관심으로 바뀌었고 관심은 호감이 되었으며 호감은 내 마음의 빗장을 열어 그녀의 향기를 담아낼 준비를 하고 있었다.

그날은 봄바람이 불어와서였을까? 아니면 봄인 바람에 그랬을까? 나도 모르게 그녀의 모습을 눈가가 아닌 나의 카메라에 담아내었다. 순백의 모습에 담긴 노란빛 매력점, 비록 뒷모습이었지만 이미 나의 눈가엔 그녀가 가득했다. 마음에는 봄바람이 실어낸 그녀가 꽃이 되어 자리를 내리고 있었다.

기나긴 겨울의 소설은 그날 이후로 짧은 마침표가 되어 나의 기억 너머의 책장에 꽂아두었다.

그렇게 가슴 속 피어난 한 송이 그녀로 인해 나의 태엽은 언제부터였을지 모를 구름을 따라 나비의 날개짓을 따라 봄으로 흘러가고 있었다. 매번 찾아오는 4월의 겨울잠은 데이지 향기를 따라 눈을 떴다.

어디서 무엇을 하다 이제야 만나게 되었을까?

오랜 시간 묵혀있던 작년 겨울의 한기가 그토록 작은 손가락에 녹아버렸던 일은 봄이라서 그랬을까, 어쩌면 봄이 널 닮아서 그랬을까 아직도 알 수 없지만 그날의 너는 나에게 봄이었다.

노랗게 내리는 햇살 아래서 쑥스러운 미소와 귓가에 담기던 기분 좋은 웃음소리, 앞으로도 보고 싶은 모습이라서 좋아하는 마음을 드러내었다. 더는 숨겨내지 않아도 되었다.

계절의 경계, 우리

봄볕의 아지랑이 사이 수줍게 피어난 데이지

그녀에게 반한 감정을 문장에 담아 그려낼 수만 있다면 그날의 내가 어떤 감정이었는지 누군가에게 설명해 줄 수 있을 것 같다.

함께하는 시간이 지나갈수록 그녀의 향은 짙어져 갔고 내게 머무르던 겨울의 한기는 옅어져 갔다.

나라는 사람은 봄을 사랑하였으나 봄이 떠나간 뒤 상처받을 마음이 안타까워 겨울 속에 머물렀을지도 모른다.

반짝이며 지저귀는 햇살의 노랫말, 봄스럽게 익어가

는 너와 나의 그림자를 바라보며 이젠 애써 봄을 붙잡지 않아도 될 것만 같아서.

그녀와 함께한 어느 날 봄은 불어온 바람과 손을 잡고서 내년 어느 겨울과 봄의 수평선 어디선가 다시 만나길 약속했다. 그렇게 봄은 나와 그녀를 남겨두고 나지막한 인사와 함께 나와 그녀를 우리라고 부르며 여름이라는 기나긴 여행을 떠났다.

풋사과 내음이 날 것만 같은 나의 초여름은 녹음을 받아 푸르게 번지는 첫사랑의 온도가 함께했다. 이젠 계절과의 이별과 만남에 뒤처질 이유가 없었다.

나의 이야기는 계절의 만남과 이별 사이 알 수 없는 모호한 경계, 별들의 밤과 새벽달의 만남처럼 떠나보내기 싫은 어린 투정과 닮아있었다.

좀처럼 달래주기 싫은 어린 투정은 콧잔등에 붙은 여름날의 땀방울처럼 시간이 지나면 곧 사라질 것이라는 걸 알기에 피어날 것만 같은 미소를 참고 곁눈질로 보고 싶다.

너와 내가 우리라는 한 단어로 부르기까지 얼마나 많은 계절을 보낸 뒤 만나게 되었는지, 작은 데이지는 알지 못해도 좋다.

그저 지금처럼 내 곁에서 보낸 계절보다 더 많은 계

절들을 함께 하기를 바라며 사랑이라는 감정을 속삭여 두고 싶다.

짧지만 기나긴 여름이 시작된 7월, 이젠 더는 지나간 계절에 슬퍼할 일은 없기를 바란다.

나의 짧은 이야기가 누군가의 여름밤, 불면을 안고 떨어지는 혜성이 되기를 바라며.

세 번째 작가, 정명진

Instagram: @ggoma_story

찰나의 순간 지나침을 글로 기억합니다.

살아가는 시간만큼 살아온 시간을 잊으며 살아가는 사람인지라 살아온 시간을 조금이나마 기억하고, 간직하고자 글을 씁니다. 잊고 살아가기엔 소중했던 시간을 글로 적어 조금이나마 더 오래 제 품에 담아두고 싶습니다.

이런 삶을 살아가는 중

퇴근 후 새벽길 좋아하는 음악을 플레이리스트에 넣고, 가장 좋아하는 바닷가로 발길을 옮긴다. 차에는 중고로 구입한 DSLR이 있고, 입가엔 좋아하는 노래가 멈추지 않고 흥얼거린다. 사람 한 명 없고, 불빛 하나 없는 한적한 바닷가에 나지막하게 파도 소리가 들려온다. 한쪽에 주차하고, 주섬주섬 삼각대를 꺼내고 핸드폰 작은 불빛에 의지하여 카메라를 설치하고 작은 돗자리 하나 툭 바닥에 던져두고 앉는다. 핸드폰 화면에 플레이리스트를 위아래로 돌려가며 움직이다 가장 마음에 드는 곡 하나 골라 재생시킨 뒤 멍하니 바다를 바라본다. 칠흑 같은 어둠에 바다는 잘 보이지 않지만, 이따금 밀려 들어온 파도의 끝자락이 시선에 닿는다. 시끄럽지 않은 그 작은 소음에 마음이 안정을 찾는다. 오는 길 내내 내 발목을 붙들고 끈질기게 늘어지던 고민과 스트레스가 천천히 물러나고, 하루 종일 무겁던 몸은 천천히 가벼워짐을 느낄 수 있다. 파도에 머물던 시선을 위로 살짝 들면 바다 지평선 끝에 밤하늘이 티 안 나게 자리를 잡고 있다. 언뜻 보면 하늘과 바다의 경계선도 구분이 되지 않는다. 그렇게 자리 잡은 밤하늘엔 반짝이는 별들이 셀 수 없이 가득 어둠을 채워 빛나고 있다. 그 많은 별과 어두운 바다의 지평선 덕에 어느 순간부턴 더욱 그 경계가 사라지고, 밤하늘 한가운데에 앉아 있는 느낌이 들고, 고요함에 익숙해질 무렵 작게 들려오는 파도가 다시 나를 땅으로 데려온다. 땅으로 내려온 나는 작은 수첩 하나 꺼내 이쁘지만은 않은 손 글씨를 작게 끄적거려본다. 밤하늘을 적고, 별을 적고, 바다를 적다 보니 어느새 시 한 편이 수첩에 생겨난다. 서툴기 그지없는 솜씨에 삐뚤거리는 글씨, 그게 뭐 그리 좋다고 혼자 웃으며 만족하곤 이내 다시 별이 가득한 밤하늘을 보며 눕는다. 하늘 가득한 별은 천천히 움직이고, 해변에 부딪히는 파도는 조그맣게 깨져 다시 바다로 돌아가고를 반복하는 시간, 나는 두 눈을 감고 별을 그려보고, 귀에 파도 소리를 담는 시간을 갖는다. 잔잔하게 들려오는 노랫소리, 잊을만하면 귓가에 가까이와 부딪히는 파도 소리에 시간 가는 줄 모르고 있다가 보면 어느새 설치해 둔 카메라엔 수많은 사진이 찍혔다. 구도도 좋았고, 환경도 좋았던 탓에 어느 사진 하나 빼놓을 수 없는 작품이 되어있었다. 아직은 서툴기 그지없지만, 그래도 늘 뿌듯한 결과물에 혼자 만족하고 있다. 그리고 난 내가 가장 좋아하는 시간을 한 번에 다 할 수 있음에 더욱 행복해지는 나의 시간을 보낸다.

낭만이 가득한 시간

오토바이와 함께 보낸 나의 휴일엔 지금 되돌아보니 낭만이 가득 흘러넘치고 있었다. 어릴 적 그렇게 투덕거리고 싸웠던 한 살 터울의 남동생과는 함께 오토바이 얘기를 하고, 투어 이야기를 하며 시간 가는 줄 모르고 수다를 떨 수 있었고, 다 커서는 같이 찍은 사진도 잘 없었는데, 서로 사진을 찍어주고 함께 사진도 찍으며 추억을 기록했고, 할 말이 없어서 연락도 없던 우리는 가는 길 내내 서로 통화하며 이런저런 이야기를 나누기도 하며 함께 만들어가는 시간에 같은 추억을 기록할 수 있었다. 여느 남매들과 마찬가지로 서로 사는 게 바빠 응원만 했지, 추억을 함께 만들기란 쉽지 않았지만, 오토바이를 함께 타고 다니며 함께 있는 추억을 만들 수 있어 너무 기뻤다. 그뿐만 아니라 혼자 하는 취미 생활을 좋아하고, 쉬는 날엔 혼자 한적한 곳에 있기를 좋아하던 나는 오토바이를 통해 모르는 사람들과 함께 여기저기 투어를 다니기 시작했다. 그중 가장 낭만이 가득했던 투어는 나와 같은 "슈퍼커브"들과 함께 떠난 한 여름날 충주 투어였다.

충주로 떠나는 날, 나는 나와 가까이 거주하는 팀원 한 명과 함께 집결지로 이동했다. 집결지에 도착하니 다양한 색상의 커브들이 주차되어 있었고, 여러 사람들이 모여 우릴 반겨주었다. 처음엔 어색해서 제대로 말도 못 하고, 그저 어색한 웃음만 짓고 있었지만, 투어 가는 길 이런저런 얘기도 하고, 노래도 부르고 사진도 찍다 보니 어느새 훌쩍 가까워진 친구가 되어있었다. 그리고 가장 큰 낭만은 충주에서 다시 집으로 복귀하기 직전 찾아왔다. 여름이다 보니 비 소식이 자주 있었지만 그게 그날이 될 줄은 몰랐다. 돌아가기 위해 짐을 정리하던 우리에게 엄청난 폭우가 찾아왔고, 급하게 장비를 챙겨 비가 그치길 바라고 있던 찰나, 엔진음이 들리더니 그 폭우 안에서 어린아이가 비 오는 날 물웅덩이 뛰어다니는 것처럼 오토바이를 타기 시작했다. 그때 나와 다른 분은 동시에 "낭~만이란~배를 타고~ 떠나갈 거야~"라고 노래를 부르며 한참을 웃던 우리도 더 이상 기다릴 수 없어 오토바이에 올랐다. 달리는 동안 피부에 닿는 비는 마치 바늘로 찌르는 것처럼 아팠지만, 그 시간도 너무 즐거웠다. 한참을 달리다 보니 어느새 비구름은 물러가고 해가 뜨기 시작했다. 젖었던 옷은 천천히 말라가고, 먹구름이 물러난 자리엔 붉은 노을이 나타났다. 그 모든 게 낭만이었다. 가는 길 뜨겁던 태양, 돌아오는 길 쏟아진 폭우, 폭우가 지나간 뒤 뜬 노을까지 아마 차를 타고 다녔다면 못 만났을 그런 낭만이었다.

네 번째 작가, 하다니엘

Instagram: @ni_eri0519

잔잔한 새벽의 감정들을 노래해봅니다.
본래는 사랑의 감정들중에서 이별과 이별후에 떠오르는 것들 위주로 적어보지만 이번 작품에서는 최대한 저와 관련된 그리고 가족과 관련된 저만의 이야기를 담아보고자 많이 노력했습니다.

다문화가정에서의 이야기들이나 아버지의 이야기를 적어보고자 했습니다.

다른 별 이방인

우리 집안은 보통의 집안과는 조금 거리가 멀었다 나는 나고 나서는 아버지의 고향인 "파키스탄"에서 5살이 될 때까지 자라왔고 5살이 된 해에 반이 조금 넘었을 무렵 내게 있어서는 '외국'이었던 한국에 어머니와 아버지 손에 이끌려 돌아왔다.

아마 모든 어린이가 그렇듯 친구와 놀거리들이 가득한 자신이 '고향'이라고 생각한 장소를 벗어나기를 원치는 않을 터 나 역시도 그러하였다 처음에는 이 고향이었던 장소를 떠나기 싫었었으니까..

하지만 어머니 손에 이끌려 처음 입국하게 된 한국은 내게 너무나도 어려운 장소였다 한국어는 익숙지 않았고 특히 나 한글은 읽을 수도 없는 것들이었으니.. 그러나 파키스탄에 자주 오셨던 어머니를 통해 나는 한국어로 대화하는 법을 어느 정도 알고 있었고 또 금방 습득하여 어느 정도 대화를 잘 해나갔던 것 같다 허나 그럼에도 여전히 모르는 것들에 불편한 것투성이 그리고 아는 친구 하나 없던 내게는 조금 어려운 나라였기에 자연스레 나는 어머니와 가장 친한 친구처럼 지내게 되었고 동시에 어머니는 내게 있어서는 선생님이었다.

익숙지 않은 나라에 익숙지 않은 사람들 나는 자연스레 내향적으로 변해갔지만 어머니는 내게 다른 다문화 친구들을 소개해 주고 또 자주 만나게 됨으로써 나도 점점 한국이 편해지고 좋아졌던 것 같다.

그렇게 나는 남들과는 다르게 조금 늦게 한국을 맞이하고 그 생활을 이어나가면서 자라왔다.

어릴 때는 조금 이국적인 외모에 남들과 다르다며 또래에게 놀림이나 괴롭힘을 당하기도 하고 그것이 원망스러워서 혼자 괴로웠던 적도 많았다 심지어는 이름마저 석자가 아닌 네 글자이었으니 '하다니엘' 이라는 쉽게 잊히지도 않는 이름은 괴롭당하기에 최적의 환경이 아니었나 조금 웃픈이야기로 이렇게 이야기해본다.

그런 환경이었지만 나는 성장하며 어머니의 영향을 많이

받았던 것 같다 어머니는 늘 내게 포용력과 넓은 시선으로 세상을 바라보는 법을 알려주셨다. "다니엘 남들 같지 않다는 것은 틀린 게 아니라 다른 것이고 그것이 잘못된 것은 아니란다", "꼭 남들과 같아야만 하는 건 아니란다" 등 여러 이야기들로 언제나 나를 이끌어주셨다.

어머니는 와중에도 역시나 한국생활에 익숙지 않은 아버지와 생활하면서도 가장의 역할까지 묵묵히 해내시는 그런 분이셨다 덕분에 나는 어머니에게 많이 의지하고, 어머니를 통해 나의 생각들을 키워나가면서 이러한 내면의 이야기들을 담아내보는 작가의 세계에 발을 들이게 된 것은 아마 어린 시절 나를 이끌어주셨던 어머니의 역할이 크지 않았나 그렇게 생각해 본다.

다른 별 아버지

아버지는 외국인이셨다 생애 처음 아무런 연고도 없는 한국으로 오셔서 파키스탄의 가족을 위해서 돈을 벌겠다는 한 가지의 목적으로 오셨던 그런 분이셨다.

어릴 적의 나는 아버지를 좋아하지 않았다 한국어도 어눌하시고 얼굴도 다른 친구들의 아버지처럼 한국 사람의 얼굴이 아니었고 피부도 까맣기에 나는 아버지가 부끄럽다고 생각해버렸던 것 같다.

그래서 나는 친구를 만나거나 누군가 먼저 물어보지 않는다면 나의 가정사를 이야기하는 것을 꺼리고 또 피해왔던 것 같다.

허나 그런 나와는 다르게 아버지는 누가 물어보지 않아도 아들 자랑을 먼저 하셨고 아버지 본인은 하나도 내세울 것 없어도 누구보다 열심히 살아가셨다.

아버지에 대한 나의 생각이 조금 바뀌었던 것은 어머니를 통해 나와 같이 아버지가 외국 분이셨던 또 다른 친구들을 많이 만나게 된 턱일까? 아니면 혹은 나만 그런 것이 아니라는 것을 알게 되어서 일지도 모르겠다 여전히 가정사를 잘 이야기하지는 않았지만 조금은 아버지가 부끄럽지 않게 됐었다. 그래도 누가 나에게 물어볼 때면 회피하거나 잘 이야기하지 않았던 것은 여전해서 그냥 남들이 몰랐으면 했다.

사춘기가 지날 무렵 우리 집안은 어머니가 따로 살게 되었다.

처음에는 원치 않았지만 매번 가정 싸움이 일어날 때마다 힘들어하시는 어머니를 더 이상 보고 싶지 않아서 어머니께 "나는 아버지와 어떻게든 살아갈 테니 엄마는 엄마를 위해 다시 살아가도 돼"라고 이야기해버렸다 그러고 나서 어머니는 집을 나서게 됐고 나는 아버지와 지내게 되었다.

이제 청소년을 지나가며 한창 청춘을 달리던 나는 아직도 어색하기만 한 아버지와 지내면서 화가 났던 때가 더 많았던 것 같다 사소한 것들도 안 맞아서 투덜거리기도 하고 대화도 잘 하지 않았었다 그런 나였지만 아버지는 항상 다 묵묵히 나를 챙겨주셨다.

나는 그 무렵까지 아버지에 대해 아무것도 몰랐는데 어느 날에 어머니와 전화 통화를 하게 되었던 날에 아버지에 대한 이야기를 하다가 아버지에 대해 알게 되었다.

아버지는 나를 위해 한국인이 되셨고, 나를 위해 한국에서 살아가기로 했다는 것을 어머니를 통해 알게 되었다.

너무나도 당연하게 생각했던 탓일까? 아니면 아버지의 고충을 알게 되었던 날이었기 때문일까? 나는 평소라면 그러지 않았을 눈물을 부모님 몰래 흘리고서는 아버지를 존경하는 마음을 다시 새겼다.

오늘날에 와서는 아버지는 한국말도 잘하시고 어눌하시지도 않으며 여전히 피부는 까맣지만 난 아무렇지 않다.

또한 아버지와 나는 투덜거리는 듯 잘 못 지내는 것 같아도 사실 친구와도 같은 느낌으로 편하게 지낸다.

나는 여전히 아버지께 말로는 잘 표현 못 하고 마음으로만 새기지만 사실 이제는 아버지가 누구보다 자랑스럽고 존경스럽다.

다섯 번째 작가, 말랑주먹

Instagram: @mallangjumeog

말랑하게 다가가 말랑한 마음을 전하는 글을 씁니다.

말랑하다는 사전적 의미로 '야들야들하게 보드랍고 무르다.'라는 뜻입니다. 반복되는 일상에서 말랑한 마음을 만들기 위하여 카페를 방문하거나 영화를 보거나 여행을 다니는 것처럼 가볍게 다가가려고 노력합니다. 부디 이 조그마한 노력이 마음 편하게 오갈 수 있도록 더 나아가 툭 하고 던져놓은 행복을 주워 담아서 미소를 머금어 하루를 시작하길 희망합니다.

꿈을 꾸는 사람

나는 꿈을 많이 꾸는 사람이다. 어렸을 때, '난 과학자가 될 거예요. 난 선생님이 될 거예요.'라는 말하는 장래 희망이 아닌 우리가 하루일과를 끝내고, 깨끗이 씻은 후 포근한 침대에 누워 잔잔한 클래식을 들으며 서서히 눈꺼풀이 감기면 들어가는 바로 그 꿈, 말이다.

꿈을 꾸는 이유를 검색해 보면 이와 같다. 대부분 사람은 90분 정도의 수면 사이클을 반복하게 되는데, 이 사이클 안에 렘수면과 비렘수면이 번갈아 가면서 나타나게 된다. 렘수면은 자는 동안에 두뇌 활동이 활발한

기간을 말하며, 얕은 잠의 단계이다. 이렇게 과학적으로 설명을 해 놓았지만, 나만의 방식으로 정리하기에는 결국 꿈이라는 건 우리가 일어나기 직전에 꾸는 것, 그 이상도 이하도 아니다.

꿈을 꾸게 되면 이러한 꿈을 꾸게 되는 게 보통이다. 예를 들어, 가족들 또는 연인과 옛 추억의 장소를 가서 그날 했던 경험을 다시 하는 것. 또는, '내가 어떤 사람과 이렇게 하는 것이 아닌 저렇게 했다면, 어땠을까?'하는 상상이 꿈으로 나타날 때도 있다. 하지만, 그런 편한 꿈만 꾸면 좋겠지만, 그렇지 않은 꿈도 있다. 지금부터 할 이야기는 조금은 소름이 돋지만, '나의 꿈으로 친구들이 다치지 않을 수만 있다면, 이런 꿈도 괜찮다.'라는 것을 이야기해 보려고 한다.

(아, 이 이야기에 앞서 이 이야기는 글쓴이 본인의 생각이며, 전문적인 내용이 아님을 미리 말씀드립니다.) 꿈에는 길조와 흉조가 있다. 그리고 길조와 흉조의 꿈에는 몇 가지도 조건이 존재한다. 꿈을 많이 꾼 사람이라면, 이제는 검색하지 않아도 이것이 길한 꿈인지 흉한 꿈인지 알 수가 있다.

무더운 여름이었다. 열대야가 심한 밤에 오늘도 많은 생각으로 잠을 못 자고 있었다. 그러다 어느 순간, 잠이 들었다. (지금부터는 꿈속 이야기입니다.) 여름 햇살에 강물이 빛나고 있었고, 푸르른 나무와 드넓은 초원을 배경으로 친구랑 호수를 산책하고 있었다. 맛있는 도시락도 먹고, 직장 상사 욕도 하면서 화기애애한 분위기로 잘 놀고 있었다. 그렇게 도시락을 먹고 주변을 정리한 뒤 걷고 있었는데, 갑자기 푸르던 나무는 앙상한 가지만 남았고, 파릇한 잔디는 죽어가는 듯한 색으로 바뀌었다. 그리고 태양은 사라지고 어두컴컴해졌다. 그리고 안개도 자욱이 꼈다. 나는 당장이라도 이 자리를 나가고 싶었다. 그래서 친구에게 가자고 하려고 했는데, 옆에 있던 친구가 사라지고 없었다. 어디로 갔는지 찾으려고 했을 무렵, 자욱한 안개가 서서히 걷히더니 조그마한 나룻배가 하나 나왔다. 친구는 그 나룻배를 타고 있었고, 서서히 호수 안쪽으로 들어갔다. "야, 어디가?" 아무리 불렀지만, 그 친구들 서서히 안개 속으로 사라질 뿐이었다. 그렇게 잠에서 깼다.

나는 잠에서 깨자마자 스마트폰을 들었고, 친구에게 카톡을 보냈다. [야, 너 오늘 밖으로 외근 나간다고 했지? 오늘 출근하면 꼭 조심해.] 친구는 [왜, 뭔 일인데?] 라고 했다. 꿈 이야기를 하면 더 위험해질 수 있다고 어디서 들은 적이 있어서 자세한 말을 하지 않고 그냥 조심하라고만 했다. 그리고 점심 때쯤 친구에게 카톡이 왔다. [야, 나 다침.] 친구는 일을 하다가 파편이 오른쪽 눈썹 위로 날아와 다쳤다고 한다. 다행히 보호장구를 하고 있어서 큰 사고는 아니었지만, 보안경을 끼지 않았다면 눈을 크게 다칠 뻔했다는 것이다.

나는 이렇듯 가끔 친구들이 꿈에 나오는데, 뭔가 어디가 찜찜한 느낌의 꿈을 꿀 때가 있다. 또 다른 친구의 꿈을 꾼 적이 있다. 그 꿈은 친구가 다친 것은 아니었다.

(지금부터 꿈 이야기입니다.) 가을이었다. 친구랑 2차선의 쭉 뻗은 은행나무 길을 드라이브가 하고 있었다. 그러다 매우 큰 은행나무를 발견하였고, 우리는 잠시 차를 세우고 근처 카페에서 사 온 아메리카노를 마셨다. 시간이 그렇게 많이 흐른 것도 아니었는데, 차로 돌아가니 은행잎이 차를 완전히 덮고 있었다. 창문도 열어두어 자동차 시트까지 은행잎으로 가득했다. 그런데 은행잎을 치우면 그 자리에 다시 은행잎이 떨어졌

다. 우리는 차를 이동시켜 은행잎을 치웠지만 매한가지였다. 그리고 잠이 깼다.

차가 친구의 차였기 때문에, 이 꿈은 친구 꿈이라도 판단하고 톡을 보냈다. [오늘 일하면서 조심하기!] 그리고 나중에 시간이 지나서 친구가 말해줬다. 네가 그 카톡 보낸 날 '매우 바빴다고...' 과학적인 사실이 아니라 믿지 않는 사람도 있겠지만, 내가 꾼 꿈은 친구들에게 영향을 주었다. 꿈으로 친구들에게 도움이 된다면 꿈을 꾸는 것을 멈추고 싶지는 않다.

아, 물론 복권에 당첨되는 꿈을 꾸면 더 좋겠지만 말이다.

감정 제어판

기쁨, 슬픔, 까칠, 버럭, 소심, 부럽, 당황, 따분, 불안. 맞다, 이들은 한 영화의 등장 캐릭터이다. 지금부터 할 이야기는 나의 감정 제어판에 관한 이야기를 해보려고 한다. (영화를 바탕으로 이야기를 써 내려갑니다. 영화의 내용이 일부 들어가니 영화를 보지 않으신 분은 스포일러에 주의하세요.)

'인사이드 아웃' 사람의 머릿속에서 감정들이 감정 제어판을 통해 우리의 감정을 제어하고 있다는 내용의 영화이다. 현재까지 2편까지 나왔는데, 1과 2를 보면서 나는 눈물을 멈출 수가 없었다. 1에서는 '기쁨이 가는 곳에 슬픔이 따라온다.' 다시 말해서, 슬픈 일이 생기면 누군가 또는 어떠한 상황 때문에 슬픔이었던 감정이 기쁨으로 바뀐다는 메시지에 눈물샘을 맺히게 하였다. 2에서는 '어른이 된다는 건 기쁨이 줄어드는 건가 봐'와 '늘 긍정적으로 사는 게 얼마나 힘든지 알아'하는 두 장면이 눈물 폭탄으로 만들었다.

영화를 보고 가만히 생각에 빠졌다. 모든 감정이 머릿속에서 활동하고 있겠지만, '과연, 나의 감정 제어판을 중심적으로 잡는 감정은 무엇일까?' 한 가지의 감정을 잡아서 이야기하기엔 나를 표현하기 힘들 거 같아 세 가지의 감정에 관해 이야기를 써 내려가 보려고 한다. 불안, 소심, 슬픔이다.

먼저, 불안과 소심이다. 불안과 소심은 같이 활동하는 하나의 팀으로 봐도 무관할 거 같다. 소심은 우리가 일생을 살아오면서 위험한 일이 닥칠 수 있고, 거기로부터 우리를 보호해 주는 역할을 하는 감정이다. 불안은 지금 현 상황의 일을 어떻게 하면 좋은 선택을 하는 미래 만들 수 있을지 생각하면서 여러 가지의 경우의 수로 시뮬레이션을 돌려보고 결정을 내리는 역할을 하는 감정이다.

나의 감정 제어판은 이 둘이 잡는 것이 분명하다고 말할 수 있다. 하루 24시간, 365일은 꿈나라에 들어가는 시간을 제외하고는 잠이 들 때까지 생각이라는 것을 한다. 아침에 일어나면 오늘 해야 할 일을 생각하며, '어떻게 하면 최고의 선택을 할 수 있을지' 수많은 가짓수로 생각하고 시행한다. 그렇게 시행을 한 후 다시 나는 생각한다. '과연 내가 최고의 선택을 한 것이 맞는지, 이렇게 바꿨다면 더 잘 해내지 않았을까?' 하면서 말이다. 인간관계에서도 그렇다. '나라는 사람을 상대방이 어떻게 하면 편하게 대할까?'를 생각하며 행동과 말을 신중히 하는 편이다. 그렇게 인간관계의 장이라고 불리는 모임이나 세미나, 프로젝트 발표 등을 한 후에는 '내가 한 말과 행동이 상대방에 뉘를 끼친 건 아닌지' 등을 생각한다. 이것이 불안이 제어판을 잡고 있다고 볼 수 있다.

'이 엘리베이터는 시범 운영 중입니다.', '역사적으로 없었던 조합으로 만든 세상 어디에도 없는 최고의 제품입니다.'라는 문구를 보면 어떤 생각이 먼저 드는가. 조금 더 구체적으로 상황을 만들어 보자. 4층 높이의 건

물이다. 엘리베이터는 하나만 있고, 저런 문구가 붙어 있다면, 어떻게 할 것인가. 나라면 절대로 타지 않을 것이다. 시범이라는 것은 어디까지나 아직 안전하다는 판정을 받지 않았다는 내용을 포함하고 있는 것이 아닌가. 아무리 높은 건물이라고 할지라도 나는 계단을 이용할 것이다. '역사적으로 없었던 조합으로 만든 세상 어디에도 없는 최고의 제품입니다.'라는 건 이렇게 가정을 해보자. 변비 때문에 고생이다. 그런데 리뷰가 하나도 없으면서, 저 문장으로 광고하고 있다면, 그 제품을 구매할 것인가. 나는 그렇지 않다. 변비 때문에 고생하여 이것저것 다 먹어가면서 변비를 치료하는 중인데, 믿을 수 없기 때문이다. 또, 광고성 리뷰도 많은데, 리뷰도 없는 그런 제품을 구매한다는 것은 위험하다고 본다. 이것이 안전주의자 소심이 제어판을 잡고 있다고 볼 수 있다.

마지막으로 슬픔이다. 누군가를 공감해 주는 일은 같이 기뻐할 수 있고, 같이 화를 낼 수 있고, 같이 울어줄 수도 있다. 이 중에서 가장 제일 잘하는 걸 뽑으라고 하면 슬픈 일에 같이 울어주는 것이다.

사랑하는 사람이랑 헤어지거나 그냥 울고 싶을 때,

그런 날이 있을 것이다. 내 주변에도 그런 친구들이 있다. 그런 친구들이 나에게 연락을 자주 하는 편이다. 일단 내가 이야기를 잘 들어주고 공감을 잘해주는 것도 있겠지만, 그런 친구들의 이야기를 들으면 내가 그 상황에 몰입하여 자동으로 눈물이 나오기 때문이다. 하루는 그런 날이 있었다. 친구가 믿었던 친구에게 크게 뒤통수를 맞았다는 것이다. 처음에는 화가 나고 짜증하고 어이가 없었지만, 그 사람에 대한 감정이 아직 식지 않았다는 것이다. 그런 자신이 너무 초라하고 아니꼽다고 그래서 미친 듯이 눈물이 난다고 내 앞에서 펑펑 울었다. 나도 그런 상황을 겪은 적이 있기 때문이었을까 꽁꽁 묶어서 버렸다고 생각한 그 사람이 저 깊은 곳에서 툭 튀어 올라와 감정 스위치를 건든 것처럼 눈물샘이 터졌다. 그렇게 서로 울고 싶을 만큼 서로 울었다. 그 후 친구는 같이 울어줘서 고맙다고 역시 너에게 말하길 잘했다고 해주었다. 이때는 슬픔이 제어판을 잡는 것이다.

이렇듯 나의 감정 제어판은 불안, 소심, 슬픔이 주가 되어 제어하고 있다고 생각한다. 하지만 이제는 영화에서 소개가 되지 않은 감정을 포함해 여러 감정이 적절히 감정 제어판을 제어했으면 하는 생각이 든다. 어른이 되어가면서 감정이 줄어든다는 것은 슬픈 일이니까 말이다.

"내 머릿속에 있는 감정들아~ 지금처럼... 아니 지금보다 더 열심히 도와줬으면 좋겠어. 사라지지 말고 이 삶이 끝나는 날까지 같이 잘 지내보자!"이 되질 않길 바라며.

여섯 번째 작가, 플로시

Instagram: @write_mmk

내 느낌을 담아
진심으로 글을 써내려가는 작가입니다.
여러분에게 그 진심이 담겼으면 좋겠습니다.

말하는 고양이 1

어느덧, 해가 지고 어둠이 찾아온 밤. 수많은 소리가 뒤섞인 도시를 헤치고 조용한 곳에 자리를 잡아, 종일 헝클어진 털을 정리한 뒤, 주변을 둘러보며 오늘도 나의 손길이 필요한 곳으로 도도하게 발걸음을 옮긴다. 마침, 구석에 홀로 자리 잡아 담배에 불을 붙이려는 청년이 눈에 들어왔다. 멀리서 봐도 느껴지는 스산한 기운. 망설임 없이 청년에게 다가가 다리에 머리를 비비적거렸다. 잠시 담배로 향하던 청년의 손이 멈췄다가, 이내 다시 연기를 내뿜으며 중얼거렸다.

"어디서 나타난 고양이야."

그 말에 미간을 찌푸렸다가, 다시 발에 몸을 비비적거렸다. 그제야 눈길을 준 청년은 다 태워낸 담배를 바닥에 비벼 불을 끄곤, 내 머리를 쓰다듬기 시작했다. 손길이 닿은 지금이 기회다. 나는 아무도 보지 못하게 주변을 살펴본 후 입을 열었다.

"이제 그만 손은 떼고"

내가 뱉은 말에 청년은 주위를 두리번거리더니 다시 나에게 시선이 향했다.

"내가 얘기한 거 맞으니 놀라지 않아도 돼"

그러자 청년은 다시 나를 만져보고는 자신이 지금 무슨 상황인지 파악이라도 하려는 듯, 잠시 멈췄던 몸은 잠시 굳었다가 이내 생각이 풀린 듯 다시 움직여 나와 멀어지기 시작했다. 그 움직임을 느끼고는, 청년이 향하는 곳으로 가볍게 막아선 후 그가 놀라지 않도록 입을 떼었다.

"놀라는 건 당연한 일이지만, 난 도움을 주러 왔어. 그리고 도움이 필요한 사람들에게만 내 말소리가 들릴 거야"

청년은 경계심을 가득 품고선 말을 이어갔다.

"내가 무슨 도움이 필요하다고. 그런 거 필요 없어"

청년의 반응이 당연하다는 듯 나는 작게 웃어 보였고,

"지금 굉장히 너를 답답하게 만드는 일이 있지?"

내 말에 마치 허공이라도 찔린 듯, 그의 눈동자는 잠시 흔들리는 듯하다가, 고개를 내저었다.

"이미 다 알고 있으니 속일 생각은 말아, 숨긴다고 해도 결국 네 속에서 곪을 뿐, 나는 곪아버린 그 속을 해결까지는 아니더라도, 진정시켜 줄 수 있어.그러니 너 마음 내킬 때 지금이라도 속에 놓았던 하고 싶은 말을 해봐. 물론 주변엔 아무도 없으니 편하게 얘기 나누자고"

"갑자기 찾아와서는 다짜고짜 내 고민을 털어놓으라고? 내가 왜 그래야 하지?"

"역시 그럴 줄 알았어. 그렇지만 할 수밖에 없지"

그때였다. 갑자기 선선한 바람이 불어오기 시작했다. 어디서 불어오는 바람인지는 모르겠지만, 그 바람 안에 무언가 달콤한 향이 느껴졌고, 청년을 보았다.

"이제 조금 할 마음이 생겼지?"

오랜 침묵이 흐른 후에, 무슨 변화라도 생긴 건지 청년의 표정은 아까보다 훨씬 부드러워져 있었다.

"그냥 계속 답답해서 담배를 피우며 풀고 있었어"

"무엇 때문에 그렇게 힘들었는데?"

"너무 많은 일이 있었지. 내가 지금 하는 일이 맞는지도 모르겠고, 언제까지 이렇게 해야 할지 모르겠고, 뭘 어떻게 해야 할지 모르겠어."

"방향성 잡기는 충분히 어려울 수 있지"

"뭘 하더라도 내 생각보다 잘 안 되는 것 같고,

그래서 더 방향성을 더 잡기 어려운 것 같아.

그렇다고 실패를 하기는 너무 무섭기도 하고"

나는 고개를 끄덕여 보였다.

"그렇다 보니 하루하루가 지옥을 경험하는 것 같고, 답답함에 자꾸 이렇게 담배에만 의존하게 되고, 이제 누굴 만나는 것도 꺼려지고, 그렇게 주변 사람들하고 멀어지기 시작하고, 그렇게 제 낙도 사라지고 있고, 이렇게 외진 곳에 자주 오는 중이야.

그나마 이곳은 고요해서 아무 방해도 받지 않고 있을 수 있어서 마음이 편안해 지거든."

"그래서 내가 이렇게 찾아온 거고. 대략 자세히는 아니더라도, 어떤 이유로 힘들었는지는 알 것 같네. 난 도움을 주지만 흔한 위로의 말은 건네지 않을 거야. 왜냐고? 힘내. 넌 잘하고 있어. 등등 많은 얘기를 하면 힘이야 잠깐 나더라도, 과연 그게 너의 답답한 속을 긁어줄까? 그건 아닐 거야. 그랬다면 지금 너는 이 자리에 있을 이유도 없을 테고"

청년은 가만히 얘기를 들으며 고개를 끄덕였다.

"앞길이 막막하다고 했지? 그러면 그 일에 너 자신이 얼마나 매달리고 열심히 한 것 같은지, 과연 모든 것을 걸 수 있을 정도로 간절하게 매달렸는지, 한 번 얼마나 열심히 했는지 다시 생각해 볼까?

아마 많은 사람들은 여기서 본인이 제일 열심히 했다고 생각할 거야. 하지만 그 생각부터 답이 나온 것 같네. 노력은 정말 끝도 없고 계속 발전해 가야 하는 거거든. 근데 내가 다 이루었고, 그만해도 되겠다고 마음먹는 순간, 이제 더 이상의 발전은 힘들지. 지금 나도 더 나은 답변을 주기 위해서 이렇게 너 같은 사람을 만나면서 배워가는 중이고."

청년은 한참을 고민을 하는 듯한 모습을 보였다.

아마도 자신이 얼마나 노력했는지 고민하겠지.

"그렇지만 이 말에 그렇게 고민하는 모습을 보면, 충분히 많은 가능성을 가지고 있는 것 같네."

"아주 틀린 말은 아니니까…"

청년은 멋쩍은 듯한 표정을 짓고는, 그동안 자신의 모습을 돌아보며. 한결 편해진 것 같은 얼굴이었다.

"세상에 모든 완벽한 것은 없고, 다들 자신의 허점을 감추고 살아가는 것뿐이니 그 모습들에 속지 말고, 지금 모습 그대로 너는 자신을 돌보고, 생각하며 더 큰 노력을 해서 매달리면, 아마도 지금보다 한층 성장한 모습이 되어있을 거야"

청년의 입가엔 미소가 지어지고, 안개는 걷혔다.

말하는 고양이 2

다시 나는 번화가로 발길을 옮겼고, 수많은 인파와 사람들을 지나 고양이를 좋아하는지 홀로 내게 다가와 무릎을 꿇고 앉는30대쯤 되어 보이는 여인을 만났다. 반갑게 웃으며 내 머리를 쓰다듬어주고, 조곤조곤 내게 말을 걸어오기도 했다.

그렇게 나는 애교를 부렸고, 주변에는 사람들이 조금씩 줄어들기 시작하며. 옅은 향기로운 안개가 펴졌다. 기분 좋은 향기와 함께 이 여자와 나만 남게 되었고, 나에게 집중하느라 상황 파악을 못 한 것인지, 그저 집중하느라 바쁜 여인에게 말을 꺼냈다.

"이제 주변을 둘러보는 게 좋을 것 같은데."

그제야 여인은 고개를 들어 주변을 둘러보더니

"어머. 네가 얘기한 거야? 너 말도 할 줄 아는구나!

이런 일이 실제로 일어날 줄은 몰랐는데 진짜 있네!" 여인의 반응은 전혀 놀란 기색이 하나도 없었다. 오히려 내가 당황할 정도였으니, 아니 이렇게 쉽게 걸린 것도 신기한데 어떻게 놀라지 않을 수 있는가" 놀랍지 않나 보네. 대부분은 다들 놀라던데.

"응! 나는 워낙 만화 같은 걸 좋아하기도 하고, 이런 이야기의 미디어도 많이 보기도 해서 그런지 별로 놀랍진 않아. 이게 내 고민이기도 하고."

오히려 담담하게 얘기를 이어가는 여인을 보니 내가 당황스러울 정도였다. 오히려 편하게 마무리될지도.

"그래서 이런 이야기를 좋아하는 게 고민이라고?"

여인은 해맑게 웃어 보이곤 고개를 끄덕였다.

"응. 나는 워낙 귀여운 캐릭터를 좋아하기도 하고,

인형이나 물건들을 잔뜩 사서 진열해 놓기도 해. 한번씩 나도 후회할 때도 있긴 하지만 그래도 너무 귀여운 걸 그냥 지나치지 못하겠기에 말이야. 그래서 가끔 캐릭터가 그려진 물건들을 들고 다니면 가끔은 나잇값 못하네. 이런 얘기를 들을까 봐 숨기기도 해"

나는 의아한 듯 고개를 갸우뚱거리며 물었다.

“왜 내가 좋아서 그러는 건데 맘대로 하지 못하고 남의 눈치를 보면서 숨기고 있는 거야?”

“누군가한테 나쁜 소리 들으면 기분 좋을 리 없지. 나도 이제 어린아이도 아니고 다 큰 성인이니까.” “네가 생각하는 어른의 기준은 뭔데?” “….” 여인은 한참 동안 말을 잇지 못했다. 어른이 된다는 건 꼭 이렇게 숨기고 감추는 게 많아야 하는 걸까?

어른이라는 이유로 포기하고 지나온 것들이 많은 것 같다. 좋아하거나 싫어하는 건 티 내지 못하고 남들의 시선이 두려워 감추기에 바쁘고, 정말 좋아하는 건 개인의 자유인데, 왜 숨기고 있는 건지 너무나 자신을 돌봐주지 못하고 누르고 살아오는 것 같은 느낌.

“흔히들 말하지. ‘어렸을 때로 돌아가고 싶다‘ ’그때가 좋았는데’ 그렇지만, 시간이 지날수록 같은 생각을 반복할 것이고 다시 돌아간다면 후회하지 않을 수 있을까? 오히려 즐기지 못하고 있는 과거를 후회할 수도 있어. 그러니 즐길 수 있는 지금을 마음껏 자유롭게 티를 내기도 하면서 마음껏 하고 싶은 대로 해. 어차피 다른 사람들은 크게 나에게 관심이 없으니. 잠깐 눈에 띌 수는 있겠지. 하지만 시간이 지날수록 그 사람들 기억에는 나라는 존재는 전혀 없을 테니까” “그 말을 듣고 보니 정말 맞는 것 같아. 나도 생각해 보면 지나친 사람들은 기억나지 않으니까"

"별로 중요하지 않은 기억들은 쉽게 지워지지."

내 말에 여인은 공감한다며 고개를 끄덕거렸다. "너무 나 자신을 돌봐주지 못한 것 같아. 이제는 조금씩 남의 시선을 신경을 쓰지 않고, 나 자신을 위하는 방법을 찾아보도록 해야겠어. 고마워"

뿌옇게 변해있던 주변의 안개는 걷히고, 여인의 손에는 자신이 가장 좋아하는 캐릭터의 열쇠고리가 쥐어져 있었고, 여인은 그 열쇠고리를 가방에 걸었다.

그렇게 여인은 뒷모습을 보이며 멀어져 가고 있었다. 나도 주변을 둘러보며 가볍게 산책을 이어가다가 벤치에 앉아 있는 한 중년여성을 발견하곤 지금이다 싶은 생각에 거리를 둔 채 자리를 잡고 앉았다.

가만히 살펴보니 옆에 놓여 있는 장바구니 하나.

딱 봐도 집에 들어가는 길에 마트에서 장을 보다가 지쳐서 쉬고 있는 것 같다. 아마 집에서 기다리고 있는 가족들을 위해서 장바구니 한가득 담았겠지.

'분명 털어놓지 못한 속마음이 있을 테니 가볼까' 한 걸음씩 벤치에 가까워졌고, 장바구니 옆 빈자리에 폴짝하고 뛰어올라 자리를 잡은 채 앉았다.

움직임을 느끼곤 여인은 내려다보더니, 장바구니를 뒤적이며 무엇인가를 찾는 듯했다. 그리곤 손에 작은 멸치를 몇 개 들고는 손수 손질을 하더니, 내 앞으로 내밀어 보인다. 거부할 순 없고 자연스레 보여야 하니 우선 한 개를 집에 물곤 작은 이빨로 오물거렸다. 말끔하게 먹어주곤 냐하는 얕은 소리를 냈다. 그렇게 내 머리에 닿은 따뜻한 손길이 닿았고 한참을 그 손길에 기대다가 자연스럽게 향긋한 냄새 와 안개가 뿌려지고 그 여성의 손길이 떨어졌다.

"손길이 따스해서 나도 모르게 계속 기대게 되었어요. 역시 엄마의 손길이란 다 이런 느낌인가 보네요."

그녀의 눈동자는 동그랗게 커졌고, 작게 어머 하는 소리를 내뱉고는 검지로 나를 살짝 찔렀다.

나는 양 입꼬리를 살짝 올리고는 고개를 끄덕였다.

그렇게 그녀는 신기하다는 눈빛을 하고는 보았다.

"아니, 어떻게 고양이가 말하지? 내가 지금 꿈꾸고 있는 거 아닌지 몰라. 처음 보는데 이런 건."

"난 아무한테나 나타나지도 않고 일반적인 고양이들과 틀리기도 하니. 놀라는 건 당연할지도 모르죠"

"근데 넌 어디서 온 거고, 왜 나한테 나타난 거니?"

"나는 모든 사람의 고민을 들어주고 있어요. 그리고 길을 지나다 우연히 마주친 당신은 고민이 많아 보였구요, 그래서 이렇게 애기를 할 수 있게 된 거죠."

"고민이야 늘 누구나 조금씩은 갖고 있는 거 아닌

가?"

"누구나 가지고 있을 수는 있지만, 일반적인 고민일 수도 있고, 큰 고민이 될 수도 있는 거죠"

"나는 그렇게 깊은 고민 하고 있다는 생각을 해본 적은 없는데. 혹시 작은 것들도 가능한 건가?"

"그럼요. 우선 뭐든 말씀해 보세요. 제가 듣고 도움을 드릴 수 있을지도요. 또 알아도 제가 먼저 얘기할 수는 없어서 말이에요. 직접 말씀해 주셔지만 가능해서"

"그래. 그렇다면 그냥 생각나는 거 하나 얘기해 보지. 이제 나도 어느 정도 시간이 흘러 벌써 인생의 절반이 와버렸고, 커버린 아이들을 어떻게 대해줘야 할지, 자식들이 집에서 떠나는 그 순간에 남편과 둘이 남들한테도, 우리 둘은 또 어떻게 생활하며 살아가야 할지, 남은 노년을 어떻게 준비할지. 여러 가지 생각이 많아. 하루하루 열심히 시간이 지나는 줄도 모르고 지내오다 보니 벌써 이렇게 흘러버렸고, 아무 준비도 못 했지. 그리고 앞으로는 그냥 더 바랄 것도 없어, 그저 건강하게, 아프지만 말자. 라는 마음만 더 커지고 있고. 이제 주변은 벌써 아프다는 사람만 생겨나고 있으니, 나도 덜컥 겁이 나지만, 그게 내 뜻대로 되어야지."

"그렇죠, 그런 게 마음대로 되면 얼마나 좋을까요. 그렇지만, 긍정적인 생각까지는 아니더라도 이런 힘들다는 마음을 버리면 조금은 마음이 편안해질 수 있어요. 생각해 보면 크고 작은 일들은 있었겠지만, 우리에겐 지금까지 버텨온 힘이 있으니, 그거로 충분해요"

"생각해 보니 그렇구나. 무수히 많은 일들이 지나갔지만, 다 흘러간 들이고, 앞으로도 지금처럼 그저 흘러가듯 자연스럽게 두는 것도 방법일 수 있겠네. 얘기하고 나니 조금은 압박감이 사라진 것 같아"

나는 옅은 미소를 띠어 보인 뒤, 안개는 서서히 사라져갔고, 벤치에서 내려와 뒤를 돌아보니 가로등 밑 그림자는 서서히 사라져갔다. 그렇게 어느덧 하루의 경계에 서있었고, 새로운 시간이 떠오른 뒤, 나는 오늘도 발걸음을 옮기며, 나의 손길이 필요한 곳을 찾아서 떠난다.